Oakfield Primary Sch
Sylvia Crescent
Totton
Southampton
SO40 3LN

G000140648

Première édition dans la collection *lutin poche* : novembre 2005
© 2003, l'école des loisirs, Paris
Loi numéro 49 956 du 16 juillet 1949 sur les publications
destinées à la jeunesse : mars 2003
Dépôt légal : novembre 2005
Imprimé en France par Clerc SAS à Saint-Amand-Montrond

Jean-Luc Englebert

Le château
du petit prince

Pastel
lutin poche de l'école des loisirs
11, rue de Sèvres, Paris 6ᵉ

Un jour, le roi dit à son fils :
«Tu es grand maintenant et, plus tard, tu seras roi.
Il est temps que tu aies ton propre château.»

Le roi montre à son fils la tour qu'il a fait construire pour lui: «Tu vois, c'est un palais digne d'un roi.»

«Hm hm, répond le prince. Mais je ne veux pas
rester ici. Un dragon pourrait facilement entrer.»

«Un grand prince comme toi ne dit pas
de pareilles bêtises!» s'écrie le roi.

Puis il ajoute: «Fais de beaux rêves.»
Et il regagne son château.

Seul dans sa tour,
le petit prince ne parvient pas à s'endormir.

Soudain, il entend un bruit :
c'est la porte d'entrée qui s'ouvre en grinçant.

Prudemment, le petit prince descend l'escalier
qui mène au rez-de-chaussée.

Doung, clong! Un dragon est en train
de farfouiller dans ses armoires.
Le petit prince remonte vite dans sa chambre.

Il installe une échelle contre le mur, se laisse glisser
jusqu'au sol et se précipite dans le château de ses parents.

Il réveille son père et lui raconte ce qui se passe.
«Mais enfin, s'exclame le roi, les dragons n'existent pas!

Tu as dû faire un cauchemar. Retourne dans ton château
comme un grand prince que tu es!» Et le roi se recouche.

Furieux, le petit prince regagne sa tour.

Il enfile son plus beau casque de chevalier,
choisit une lance très pointue et un énorme bouclier.

Sur la pointe des pieds, il redescend l'escalier.

Trop occupé, le dragon n'a rien entendu.
Le petit prince inspire profondément…

et, d'un bond, saute derrière le dragon en criant:
«Ouste!»
Le dragon est tellement surpris qu'il trébuche
et se retrouve dehors sans avoir rien compris.

«Ici, c'est chez moi, tu n'as rien à y faire !» crie
le petit prince au dragon abasourdi. Et il referme la porte.

Ensuite, il retire son casque

et se recouche dans son lit.

Bonne nuit !